Princesse cherche prince charmant

Daniel Laverdure

Illustrations de Sampar

COLLECTION
SAUTE-MOUTON

ÉDITIONS
MICHEL
QUINTIN

Données de catalogage avant publication (Canada)
Laverdure, Daniel

Princesse cherche prince charmant

(Collection Saute-mouton : 17)
Pour enfants de 6 ans.

ISBN 2-89435-182-8

I. Sampar. II. Titre. III. Collection :
Saute-mouton (Waterloo, Québec) ; 17.

PS8573.A816P74 2001 jC843'.54 C2001-941418-8
PS9573.A816P74 2001
PZ23.L38Pr 2001

Révision linguistique: Monique Herbeuval
Infographie: Tecni-Chrome

Ce texte est une version considérablement modifiée d'un album publié précédemment aux Éditions Pierre Tisseyre sous le titre: *Princesse Héloïse cherche Prince charmant.*

L'auteur tient à remercier Robert Soulières pour son aide précieuse.

Le Conseil des Arts du Canada
The Canada Council for the Arts

La publication de cet ouvrage a été réalisée grâce au soutien financier du Conseil des Arts du Canada et de la SODEC. De plus, les Éditions Michel Quintin bénéficient de l'aide financière du gouvernement du Canada par l'entremise du Programme d'aide au développement de l'industrie de l'édition (PADIÉ) pour leurs activités d'édition.
Gouvernement du Québec – Programme de crédit d'impôt pour l'édition de livres – Gestion SODEC

ISBN 2-89435-182-8
Dépôt légal - Bibliothèque nationale du Québec, 2001
Dépôt légal - Bibliothèque nationale du Canada, 2001

Éditions Michel Quintin
C.P. 340, Waterloo (Québec) Canada J0E 2N0
Tél.: (450) 539-3774 Téléc.: (450) 539-4905
Courriel: mquintin@sympatico.ca

1 2 3 4 5 6 7 8 9 0 M L 5 4 3 2 1
Imprimé au Canada

À Jeanne,
ma princesse à moi

1

La ruse

Il y a de cela un sacré bout de temps, vivait une princesse appelée Éloane. N'ayant jamais eu de prétendant, elle prit la décision de se trouver elle-même un prince... un prince charmant, évidemment ! Éloane eut alors l'idée saugrenue d'embrasser tous les crapauds du pays. Elle espérait ainsi que

l'un d'eux se changerait en un ami dévoué et, ô combien désiré!

Mais voilà, les étranges bestioles ne se laissaient pas

attraper facilement. Il faut dire que courir dans les marécages avec une robe de satin parée de perles et de dentelle n'était pas fréquent pour la princesse.

Éloane mit quatre heures pour s'emparer du premier animal qu'elle trouva de prime abord plutôt dégoûtant. Au moment d'être embrassé, le crapaud éternua et glissa des mains de la princesse. Loin de se découra-ger, elle se dit qu'il lui fallait trouver une ruse plus astucieuse pour mettre la main sur celui qui ferait battre son cœur.

Elle se déguisa donc en mouche géante pour attirer l'attention des crapauds. Comme ceux-ci adorent gober

les mouches, lorsqu'ils virent l'insecte gigantesque, ils ne purent y résister. Quel banquet en perspective ! Ils s'empressèrent donc de suivre la princesse déguisée jusqu'au château.

Tous les crapauds du royaume se retrouvèrent ainsi empri-

sonnés dans la chambre de la princesse. Il y en avait 273. Cependant, Éloane devait garder son projet secret, car

son père, le roi, lui avait toujours refusé catégoriquement la présence d'un animal à la maison.

2

Les premiers baisers

Éloane prit soin de mettre du rouge sur ses lèvres. Beaucoup de rouge, au moins deux centimètres d'épaisseur, pour laisser des empreintes bien visibles sur les joues des crapauds. De cette façon, elle éviterait d'embrasser plusieurs fois les mêmes bêtes.

Convaincue qu'elle n'aurait pas à attendre bien longtemps

avant de dénicher son prince, Éloane prit son courage et un crapaud à deux mains et commença à distribuer des baisers.

Inutile de décrire la consternation des crapauds devant cette soudaine affection de la part de ce moustique bizarre. Ils montraient leur embarras par un drôle de sourire. La princesse leur trouvait presque l'air mignon.

Après avoir embrassé un premier lot de 37 amphibiens, Éloane remarqua un comportement étrange chez le dernier

crapaud touché par ses lèvres. Une lumière envahit alors toute la pièce et, dans un nuage de fumée mauve apparut... une magnifique princesse!

— Enfin, il était temps! J'en avais marre de cette vie

d'étang ! Je suis une princesse, moi, pas une rainette ! Merci et bonne chance, mademoiselle !

Enfin libérée du sortilège, la princesse quitta aussitôt les

lieux pour retourner dans son château. Elle avait quelques comptes à régler avec sa

sorcière de belle-mère qui lui avait jeté ce maléfice.

Éloane jeta un regard inquiet sur les 236 autres crapauds en se demandant où cette folle aventure la mènerait.

3

Quelques surprises

Plusieurs minutes s'étaient écoulées, mais Éloane continuait à donner des baisers sans relâche. Le 66e crapaud réagit à son tour. Éloane imagina un instant qu'il se transformait en vedette de cinéma. À son grand étonnement, le crapaud devint une tondeuse à gazon.

« C'est pratique, pensa-t-elle. On n'aura plus besoin de laisser les chèvres brouter la pelouse. »

Au 82e crapaud, elle crut que, cette fois, c'était le bon. L'animal fit un bond par en arrière, ouvrit grand les yeux et se gonfla, devenant aussi gros qu'un bœuf. Mais il fit un rot dégoûtant puis retrouva son apparence habituelle.

Des dizaines de crapauds prirent différentes formes, plus inattendues les unes que les autres : un cactus, un parapluie, un pot de chambre... À la fin de la soirée, Éloane ne trouva plus de crapauds sans trace de rouge à lèvres.

— Je crois que je les ai tous embrassés, et je n'ai toujours pas de prince.

La pauvre princesse n'avait jamais été aussi triste et déçue.

Épuisée, elle préféra aller dormir et attendre au lendemain

pour ramener les crapauds dans le marécage.

Quelques heures plus tard, un crapaud, très observateur et surtout indiscret, découvrit que la porte était légèrement

entrouverte. Afin de satisfaire sa curiosité, il sortit, accompagné de près d'une centaine de ses copains, pour effectuer une petite visite des lieux.

Au matin, tout le château était envahi. Les domestiques, les ministres et les conseillers se retrouvèrent en face de ces bestioles qui leur souriaient au nez.

À son réveil, le roi entendit ronfler. Il découvrit alors un crapaud bien enfoncé au creux

d'un oreiller et profondément endormi. Le roi se redressa dans son lit.

— QUOI ! UN ANIMAL DANS MON CHÂTEAU !

Il aperçut aussi un autre crapaud, la tête coincée dans une de ses pantoufles. Après s'être levé, il surprit vingt-deux amphibiens qui batifolaient dans la baignoire.

L'un d'eux, assis sur le savon, se promenait sur l'eau en

utilisant la brosse à dents en guise de rame. Certains se servaient des robinets comme plongeoirs tandis que tous les autres, agrippés au bord de la baignoire, tapaient dans l'eau

avec leurs pattes arrière. Ils faisaient tellement de mousse que ça débordait de partout.

Le roi crut qu'il allait exploser.

4

Enfin un prince!

Réveillée par toute cette agitation, Éloane, en ouvrant les yeux, eut tout juste le temps d'entrevoir le dernier crapaud sortir de sa chambre. Ô stupéfaction! Ce crapaud n'avait pas de traces de rouge à lèvres.

Rapidement, la princesse parcourut le château pour s'emparer de l'animal, en se disant que c'était sûrement là sa dernière chance. Elle n'hésita pas à mettre toutes les pièces sens dessus dessous. Quand elle l'attrapa enfin, elle le ramena aussitôt dans sa chambre.

Éloane ferma la porte et reprit son souffle. Elle regarda son crapaud un moment puis, doucement, elle lui donna un tendre baiser.

Aussitôt, une bourrasque balaya la pièce. Un jet lumineux sortit du plancher pour en rejoindre un autre qui descendait du plafond. Au milieu, le crapaud se transformait. On entendait une musique céleste, des trompettes, de la harpe et des violons. La lumière disparaissait

lentement. Éloane n'en pouvait plus, tellement elle avait hâte de voir apparaître son prince !

Avec beaucoup de prestance, un prince se tenait debout devant elle.

Il dégageait un parfum de printemps plein de promesses et d'aventures. Il portait :

- de beaux vêtements richement brodés;
- sur son torse, une armure de cuivre finement ciselée;
- à ses pieds, des sandales en lanières de cuir tressées.

Sa main s'appuyait avec fierté sur une épée en acier inoxydable. Mais... il avait toujours une tête de crapaud.

C'était le prince du royaume des crapauds !

— Grooâââ !

— Excusez-moi ! Je vois bien que vous êtes un prince, mais vous n'êtes pas celui que j'espérais.

— Grooââââ !

— S'il vous plaît, n'insistez pas ! Et puis, de toute façon, je viens d'embrasser 272 de vos sujets, j'en ai plein ma couronne ! S'il vous plaît, laissez-moi !

Le prince ne s'acharna pas et quitta les lieux.

Éloane était déçue, découragée, désemparée, démoralisée, désenchantée, dégoûtée, désolée...

5

La colère du roi

En pyjama, le roi avait, d'un bond, franchi les escaliers menant à la chambre de sa fille. En voyant le regard royal de son père, la princesse pâlit sous sa couronne.

— MAIS QUE SE PASSE-T-IL ICI ? cria le roi. Le château est devenu une mare à amphibiens. On nage en plein délire. Tu n'y

serais pas pour quelque chose, ma fille ?

— Eh bien voilà, papa-roi, murmura la princesse. J'ai eu envie d'avoir un peu de compagnie. Je me sens tellement seule ici.

— Mais, Éloane, sois raisonnable ! Tu as vu tous ces crapauds ? Ce n'est pas de la compagnie, c'est de la surpopulation ! Un petit chat ne pourrait-il pas satisfaire tes caprices ?

Éloane sauta sur l'occasion et demanda aussitôt à son père de la conduire à l'animalerie du village. Toutefois, avant de partir, elle s'empressa de libérer les crapauds.

À l'animalerie, il y avait des dizaines de jolis minets aux jolis minois. La princesse arrêta son choix sur un chaton blanc aux yeux bleus. Une véritable beauté.

— Il est trop mignon, je veux celui-là !

— Tu es certaine que tu veux cette chose ? Il y a plein de poils, là-dessus !

— Mais papa-roi d'amour, si tu voulais un animal sans poils, il fallait garder les crapauds !

— Bon, ça va ! Ça va !

Au comptoir-caisse, Éloane se sentit mal tout à coup; elle avait des vertiges. Elle venait d'apercevoir le jeune vendeur. D'ailleurs, à son allure, il était évident que lui aussi ressentait de l'attirance pour la princesse.

Le bon roi comprit bien vite ce qui se passait. Tout réjoui, il se frotta les mains en se disant : « Finalement, ce chat est une très bonne affaire ! »

Éloane et le vendeur vécurent très heureux et eurent beaucoup de petits chats !

Table des matières

La collection SAUTE-MOUTON

1. Le mouton carnivore
2. Éloïse et le cadeau des arbres
3. Nardeau, le petit renard
4. Nardeau chez Toubib Gatous
5. Crapule, le chat
6. Germina a peur
7. Le pique-nique de Germina
8. Nardeau est libre
9. Une chauve-souris chez Germina
10. Éloïse et le vent
11. Le monstre de la nuit
12. Sapristi, mon ouistiti !
13. Où sont les ours ?
14. La tortue célibataire
15. L'animal secret
16. Le Noël de Germina
17. Princesse cherche prince charmant

La collection LE CHAT & LA SOURIS

1. Ma Mère Poule
2. Ma mère part en voyage
3. Torea, le garçon des îles
4. Gonzague, le loup végétarien
5. Le pari de Gonzague
6. Gonzague organise un concours
7. Globule, la petite sangsue
8. Globule et le ver de terre
9. Malourène et la reine des fées
10. Malourène et la dame étrange
11. Gonzague veut dormir
12. Torea et le poisson volant

Imprimé au Canada